Yellow

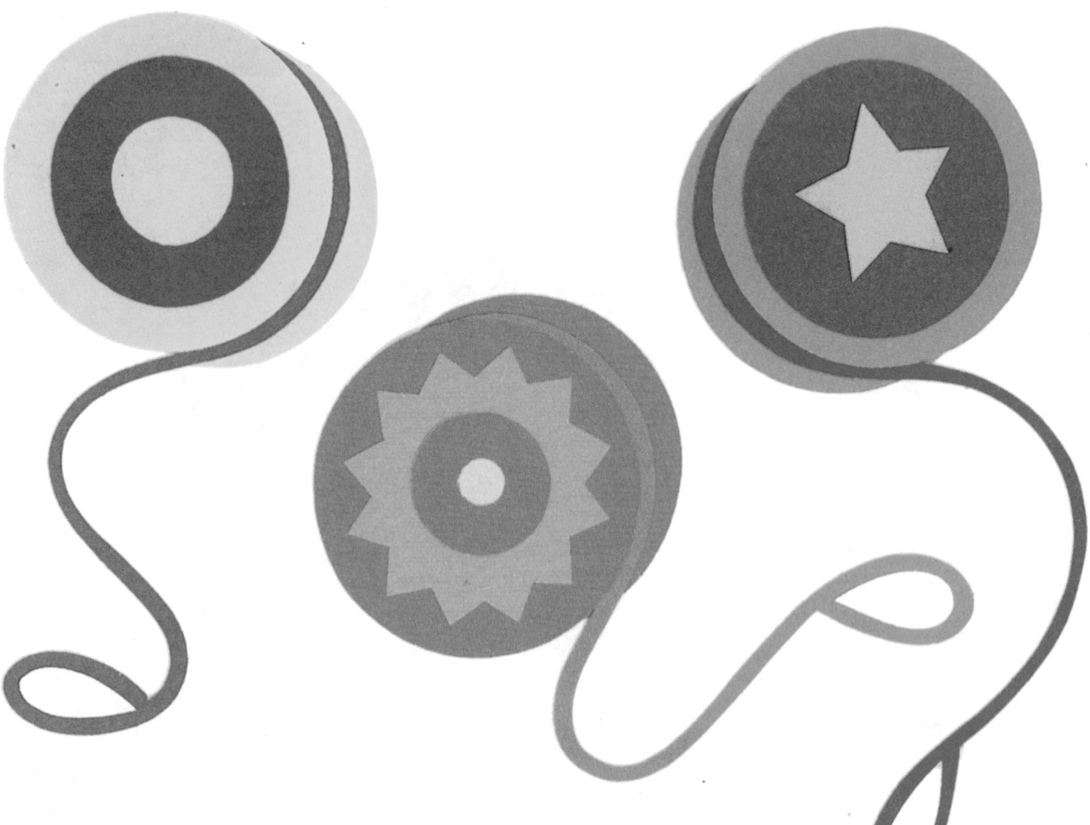

I see a yellow yo-yo.

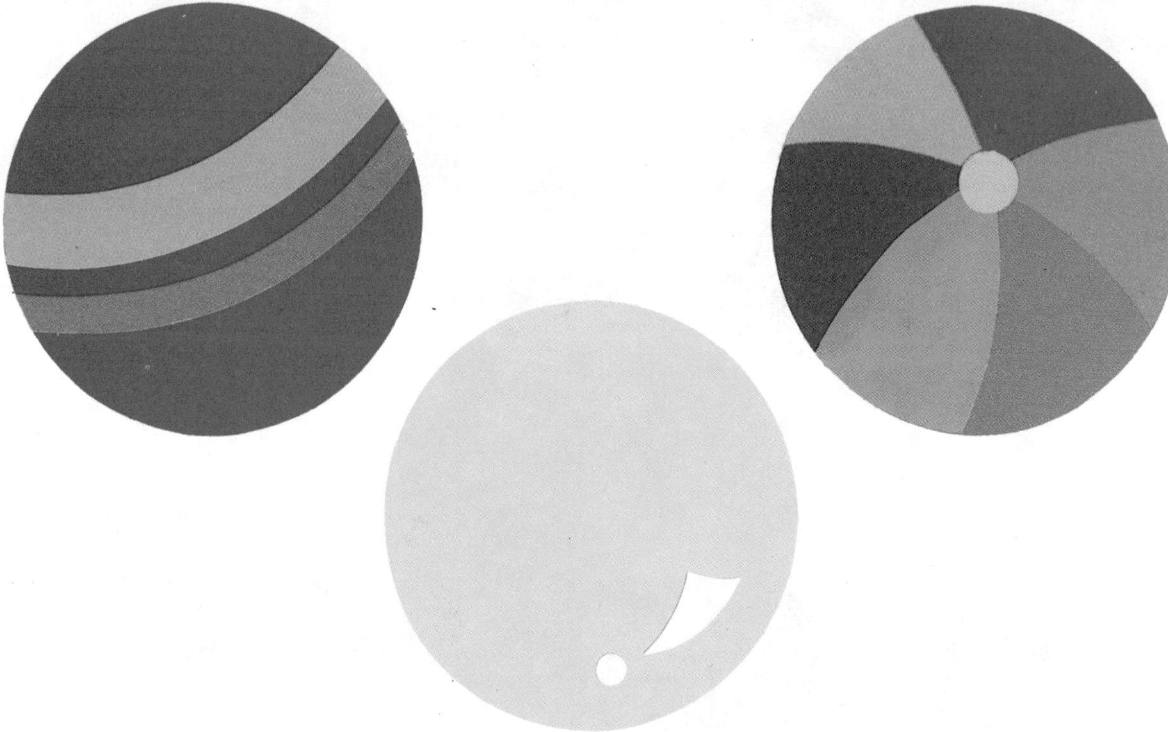

I see a yellow ball.

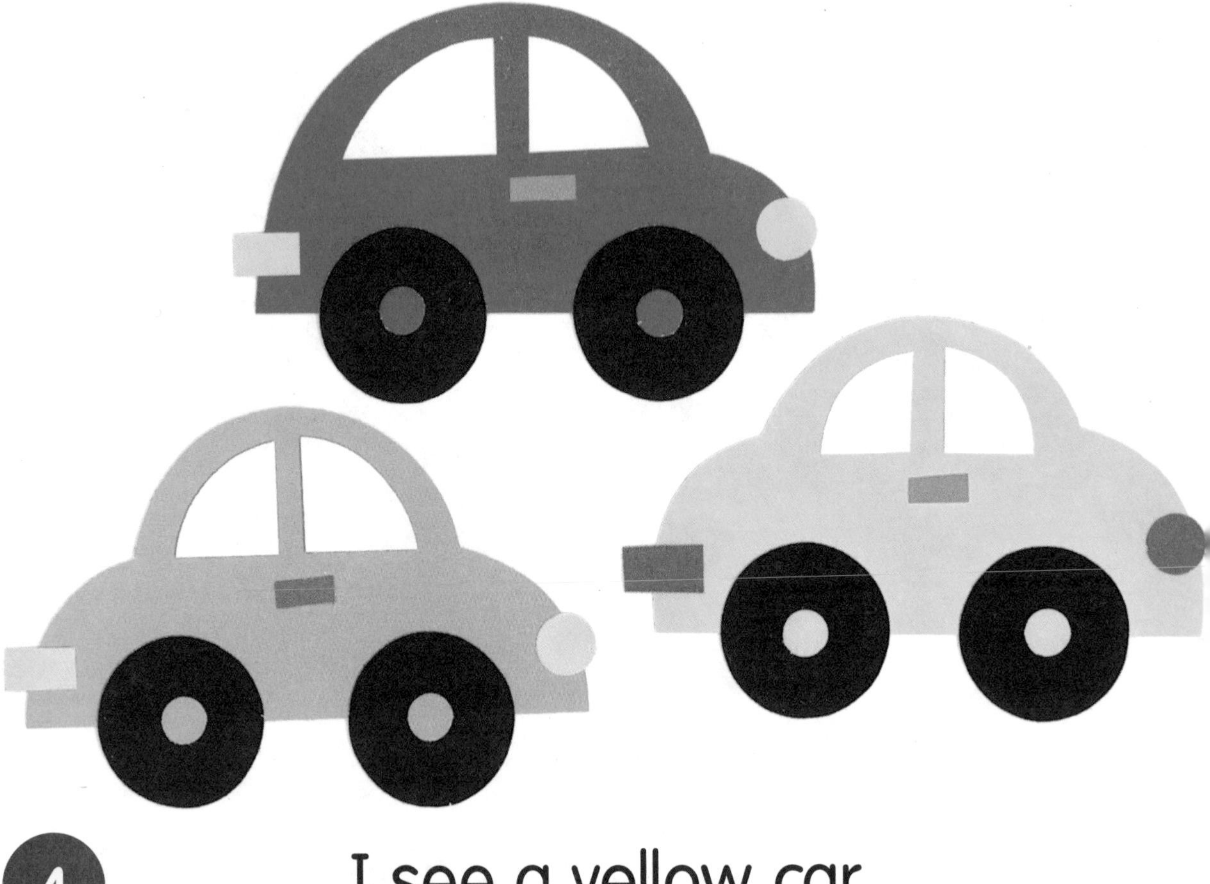

I see a yellow car.

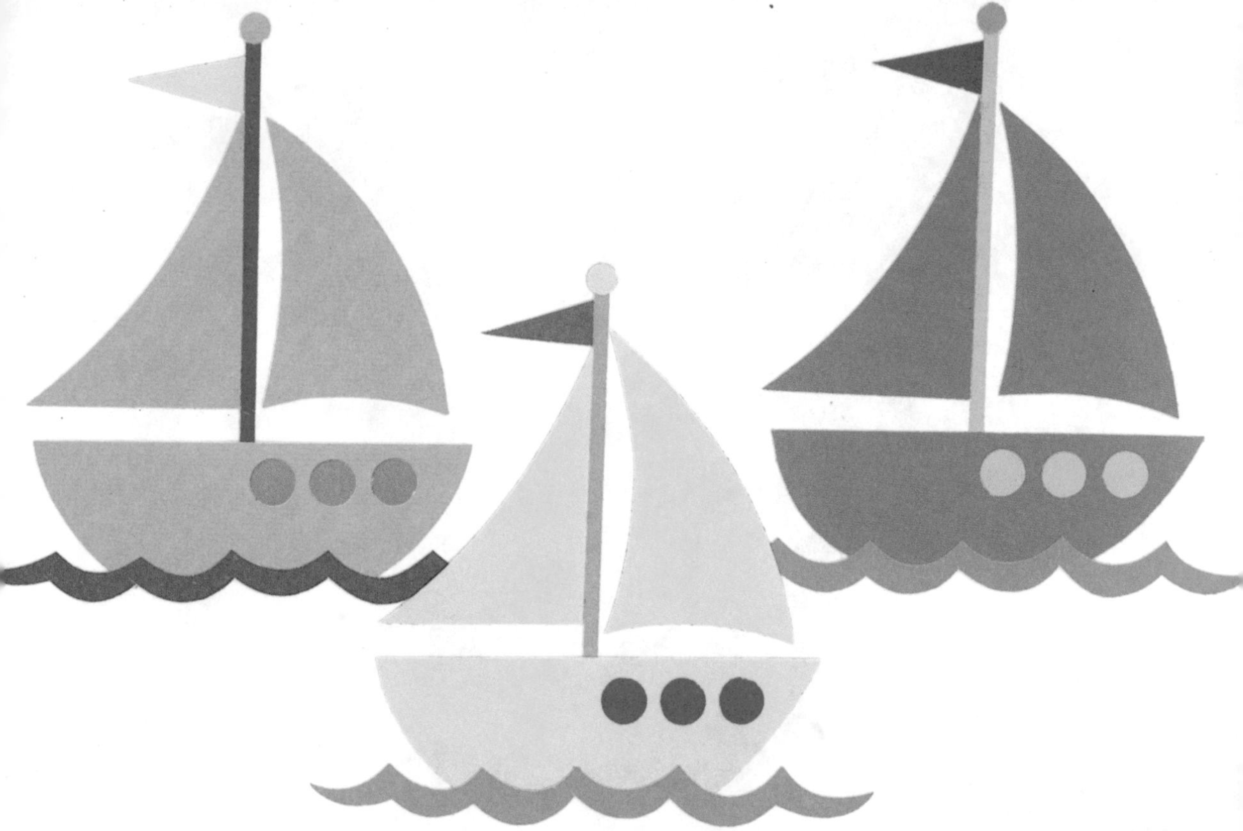

I see a yellow boat.

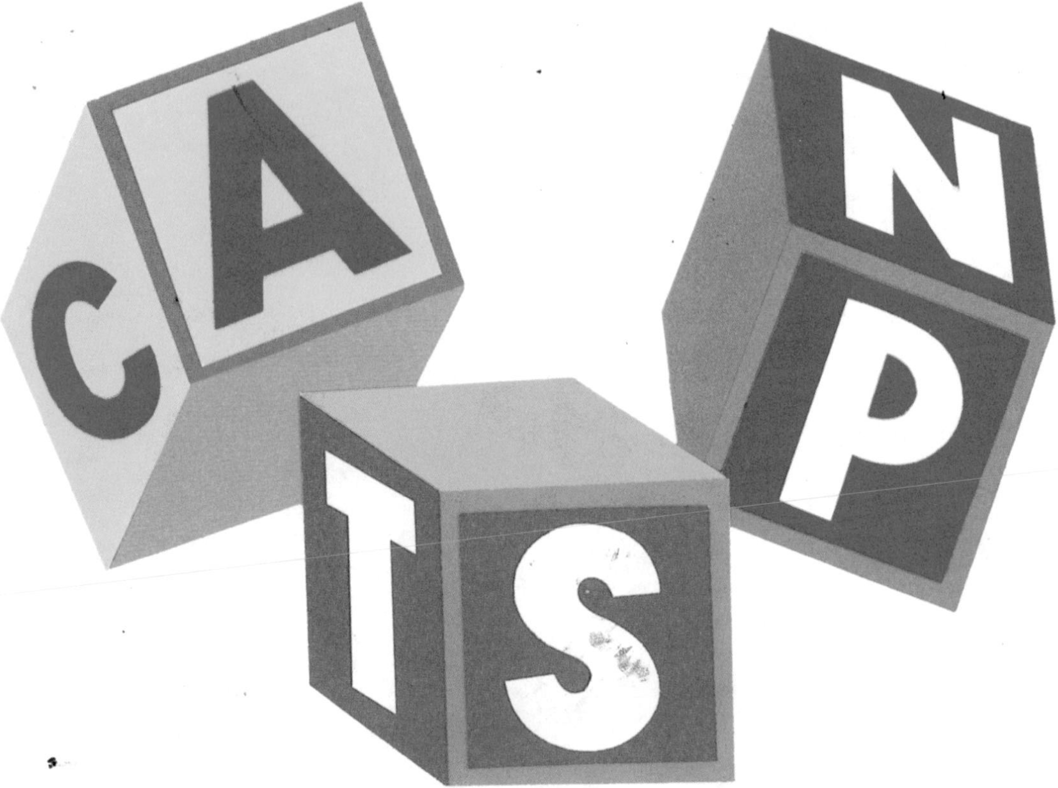

I see a yellow block.

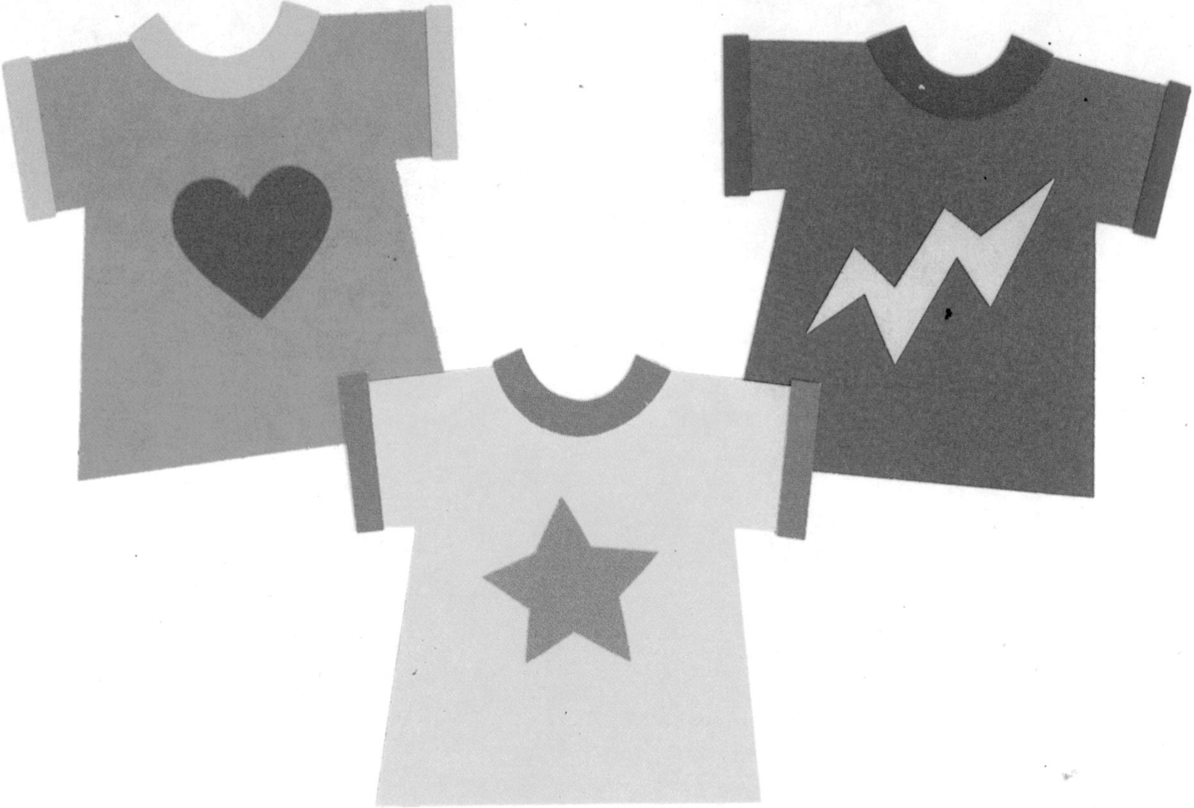

I see a yellow shirt.

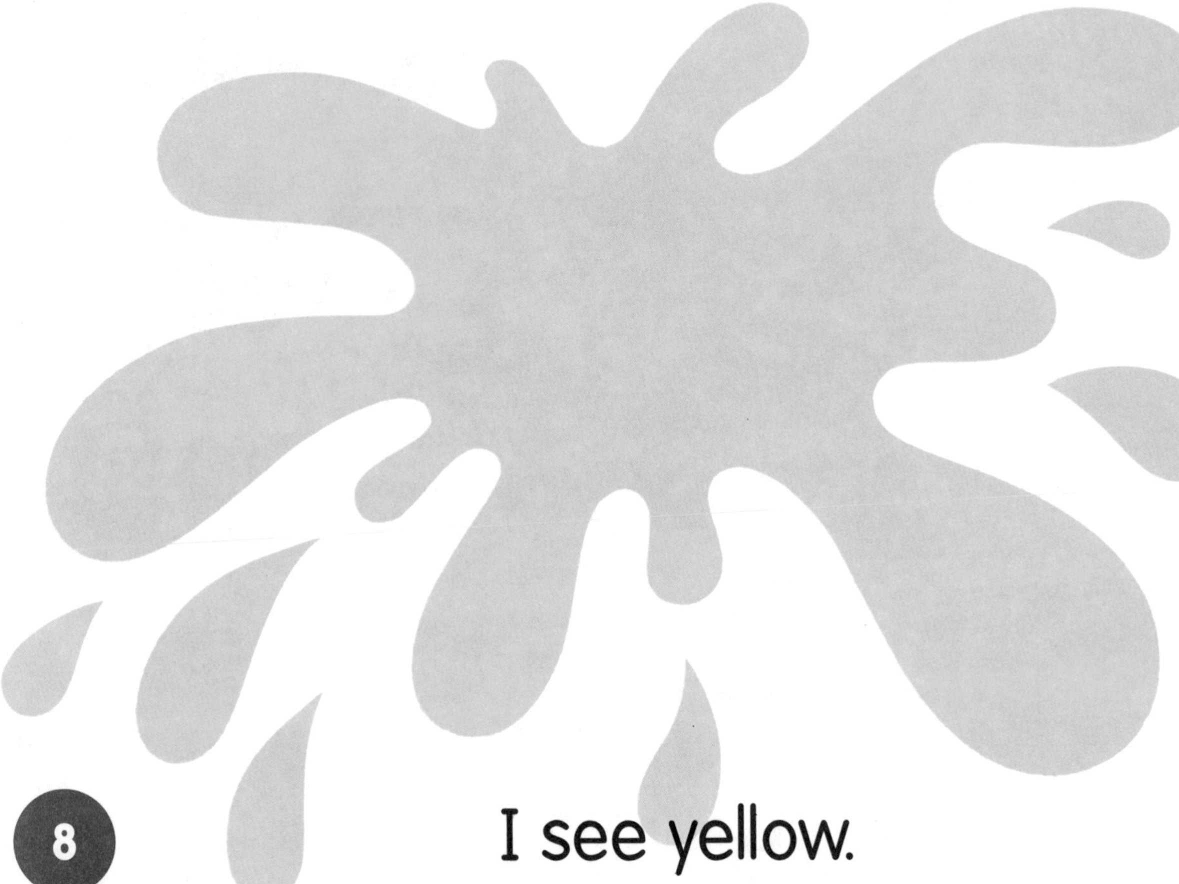

I see yellow.